Pour Anaëlle et Florine
A.M.

 © 2012 Éditions Mijade
18, rue de l'Ouvrage
B-5000 Namur
www.mijade.be

Texte © 2012 Thierry Robberecht
Illustrations © 2012 Annick Masson

ISBN 978-2-87142-772-8
D/2012/3712/55

Imprimé en Belgique

Thierry Robberecht

Annick Masson

Je ne peux rien faire !

Mijade

Le caméléon peut tirer la langue...

Moi **pas** !

Le singe peut faire des grimaces...

Moi, jamais !

Le cochon peut renifler
comme un porc... snirf... snirfff...

Quand je le fais,
Maman me **gronde!**

snirf

L'écureuil peut manger avec ses doigts...

Grand-Mère me dit qu'une jeune fille
doit **bien** se tenir à table!

Le paresseux peut ronfler toute la journée...

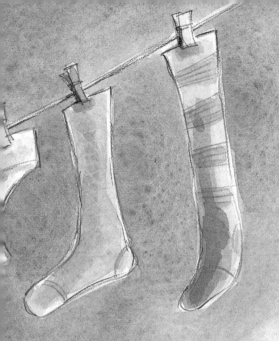

Moi, le matin,
je dois me lever pour aller à l'école !

Le sanglier peut se rouler dans la boue...
Mais moi,
je ne peux pas tacher ma nouvelle robe!

L'hippopotame peut avoir mauvaise haleine...

Moi, je dois me laver les dents
le **matin** et le **soir** !

Quand il est fâché, le lama crache sur ses copains !

Quand j'ai craché sur Léon,
j'ai été **punie** !

La baleine, elle peut faire **Splatch!**
autant **qu'**elle le veut!

splatch!

À la maison, Papa n'est pas content
quand je mouille un peu la salle de bain.

Quand mon petit frère fait des rots, on lui dit
Bravo pour le rototo!

Bravoo!

rot

Moi, on me gronde !

Je ne peux **jamais** rien faire!

Je ne peux pas me comporter comme un caméléon,

un singe,

un cochon,

un écureuil,

un paresseux,

un sanglier,

un hippopotame,

un lama,

une baleine

ni comme mon petit frère !

Je suis une grande fille modèle... mais... mais...

...je peux les imiter pour rire!

À ton tour de faire des grimaces !